P9-AOJ-156

SÓLO UN SEGUNDO

una manera distinta de percibir el tiempo

Para mi padre. S. J.

DIRECCIÓN: Adriana Beltrán Fernández
COORDINACIÓN DE LA COLECCIÓN: Karen Coeman
CUIDADO DE LA EDICIÓN: Pilar Armida y Ariadne Ortega
FORMACIÓN: Maru Lucero
TRADUCCIÓN: Pilar Armida
REVISIÓN TÉCNICA: Angélica Cervantes

Sólo un segundo

Título original en inglés: *Just a Second*

Editado por Ediciones Castillo por acuerdo
con Houghton Mifflin Harcourt Publishing Company,
10003, Nueva York, E.U.A.

PRIMERA EDICIÓN: noviembre de 2012

Insurgentes Sur 1886, Col. Florida,
Del. Álvaro Obregón,
C.P. 01030, México, D.F.

Ediciones Castillo forma parte
del Grupo Macmillan

www.grupomacmillan.com
www.edicionescastillo.com
infocastillo@grupomacmillan.com
Lada sin costo: 01 800 536 1777

Miembro de la Cámara Nacional
de la Industria Editorial Mexicana.
Registro núm. 3304

ISBN: 978-607-463-409-7

Impreso en México/*Printed in Mexico*

SÓLO UN SEGUNDO

una manera distinta de percibir el tiempo

STEVE JENKINS

Un segundo pasa bastante rápido. De hecho, han pasado ya varios segundos desde que empezaste a leer este libro. Y el tiempo sigue corriendo...

Cada minuto tiene 60 segundos; una hora tiene 3 600, y así sucesivamente, sin parar. La mayoría de la gente vivirá más de 2 500 millones de segundos a lo largo de su vida.

En un segundo pueden suceder muchas cosas. Algunas sorprendentes, e incluso maravillosas, ocurren en tan sólo un instante. Otras tardan un poco más...

De eso se trata este libro.

En un segundo...

El segundo es una unidad de tiempo ideada por el hombre, ya que no se relaciona con ningún ciclo natural. Es la unidad de tiempo más corta que usamos en nuestra vida cotidiana.

Hace 5 mil años, los babilonios concibieron la idea del segundo. Sin embargo, en ese entonces no tenían manera de medirlo.

Un murciélago puede emitir 200 chillidos.

Un colibrí bate sus alas 200 veces.

Un abejorro aletea 200 veces.

Un mosquito aletea alrededor de mil veces.

Una víbora de cascabel sacude su cola 60 veces a manera de advertencia.

Un pájaro carpintero picotea el tronco de un árbol 20 veces.

En un segundo...

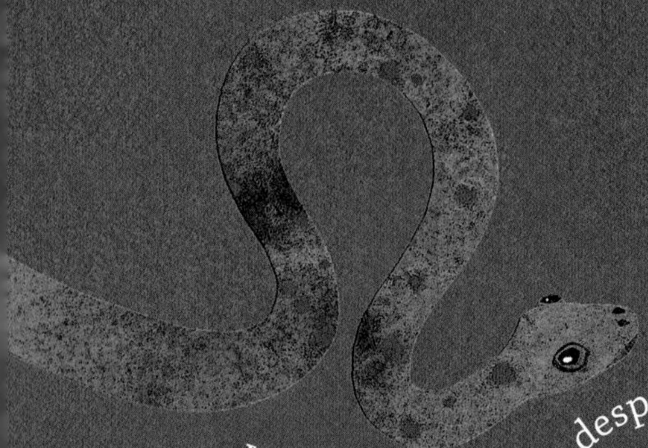

Un guepardo que arremete...

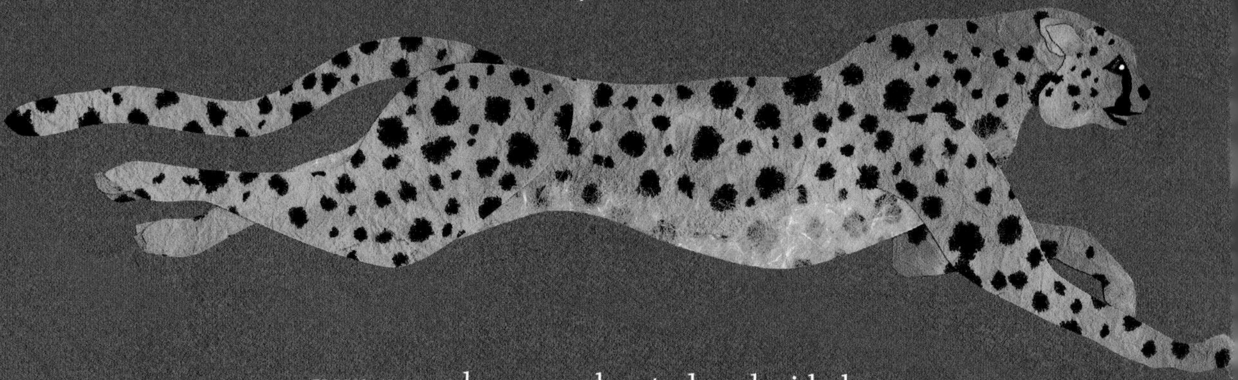

Una mamba negra se desplaza
la alarmante distancia de 7 metros.

... y un pez vela que nada a toda velocidad...

Una libélula en vuelo
avanza 15 metros.

... recorren 30 metros.

Una persona muy veloz puede correr hasta 12 metros.

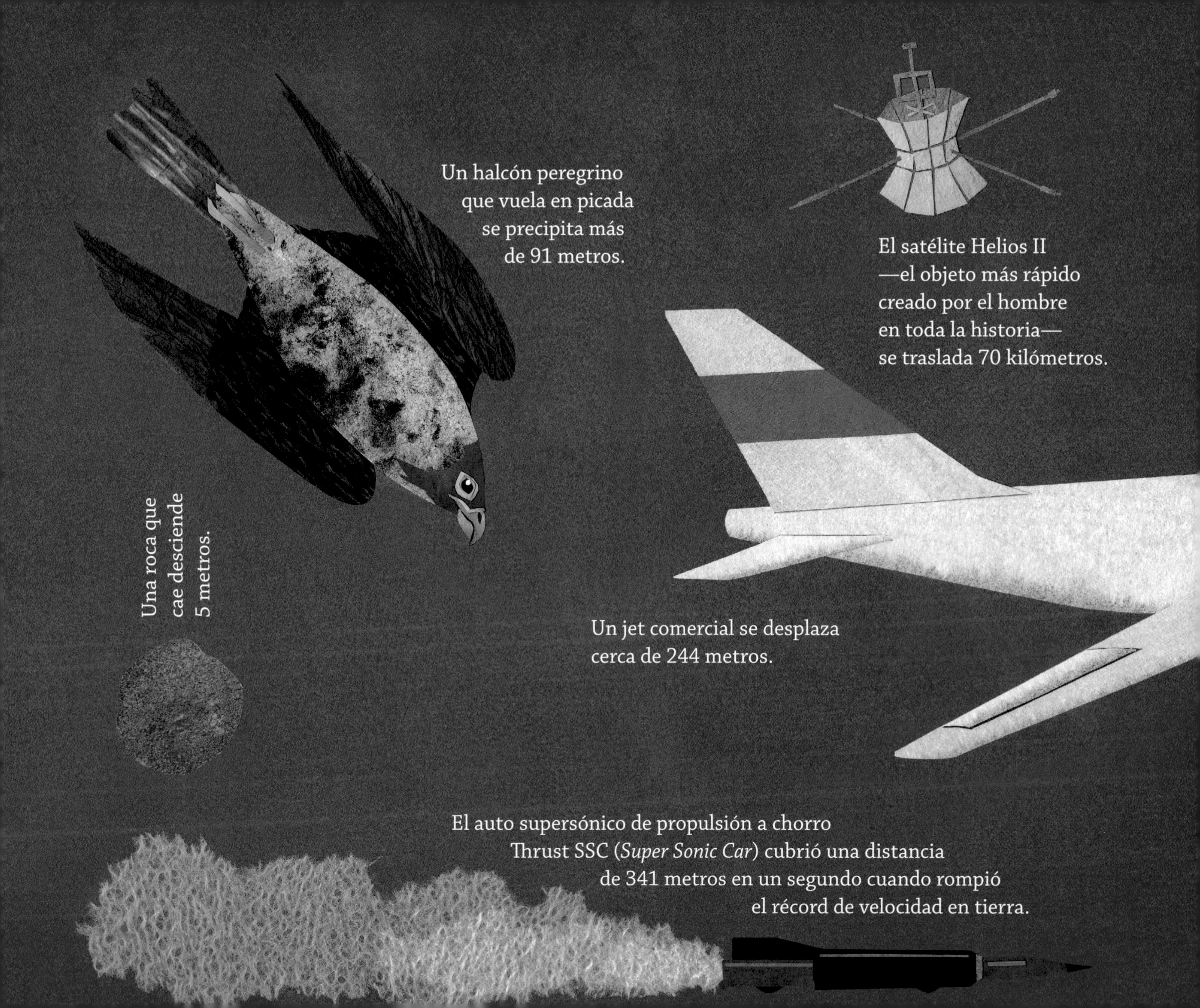

Una roca que
cae desciende
5 metros.

Un halcón peregrino
que vuela en picada
se precipita más
de 91 metros.

Un jet comercial se desplaza
cerca de 244 metros.

El auto supersónico de propulsión a chorro
Thrust SSC (*Super Sonic Car*) cubrió una distancia
de 341 metros en un segundo cuando rompió
el récord de velocidad en tierra.

El satélite Helios II
—el objeto más rápido
creado por el hombre
en toda la historia—
se traslada 70 kilómetros.

En un segundo...

El alarido de un mono aullador
se escucha a una distancia de 343 metros.

Un meteoro que atraviesa
la atmósfera de la Tierra
puede recorrer hasta
71 kilómetros.

El canto de una ballena jorobada
se propaga alrededor de 1 550 metros bajo el agua.

En algún lugar del mundo...

La luz viaja 300 mil kilómetros.

La nave espacial Apolo 10 recorrió
casi 11 kilómetros en un segundo
en su regreso a la Tierra. Ningún
ser humano ha vuelto a viajar
a tal velocidad en un vehículo
diseñado por el hombre.

1 500 pollos son sacrificados.

La Tierra avanza 30 kilómetros en su órbita alrededor del Sol.

... nacen 4 bebés (y mueren 2 personas).

El manaquín macho
frota la punta de sus
alas más de 100 veces,
produciendo un sonido
similar al de una cuerda
de violín.

En un minuto...

Una persona que camina a paso ligero recorre 91 metros.

El perezoso tridáctilo trepa alrededor de 3 metros.

Una tortuga gigante se arrastra unos 4.5 metros.

El minuto, al igual que el segundo, no se basa en ningún ciclo natural. Los 60 minutos que hay en una hora, así como los 60 segundos que hay en un minuto, tienen como origen un sistema de cálculo que los babilonios utilizaron hace miles de años.

Un caracol común se desliza 30 centímetros, dejando atrás su rastro viscoso.

La Luna viaja
61 kilómetros
en su órbita
alrededor
de la Tierra.
Un paracaidista
en caída libre
desciende
3.25 kilómetros.
Si una persona se pusiera de pie sobre la línea del Ecuador, se desplazaría 29 kilómetros
debido al movimiento de rotación de la Tierra ¡sin dar un solo paso!
Un oso grizzly al ataque recorre 805 metros

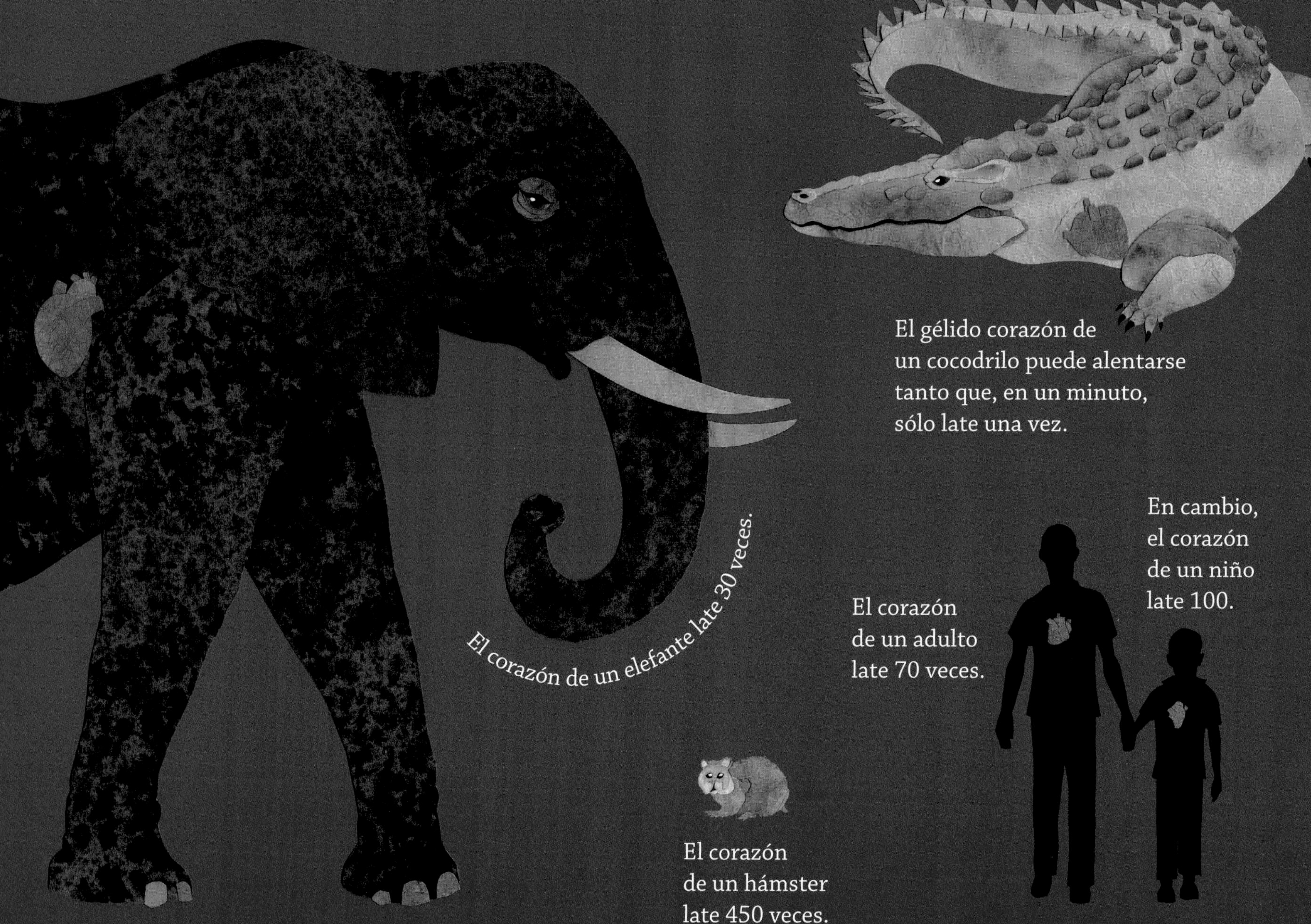

El gélido corazón de
un cocodrilo puede alentarse
tanto que, en un minuto,
sólo late una vez.

El corazón de un elefante late 30 veces.

El corazón
de un adulto
late 70 veces.

En cambio,
el corazón
de un niño
late 100.

El corazón
de un hámster
late 450 veces.

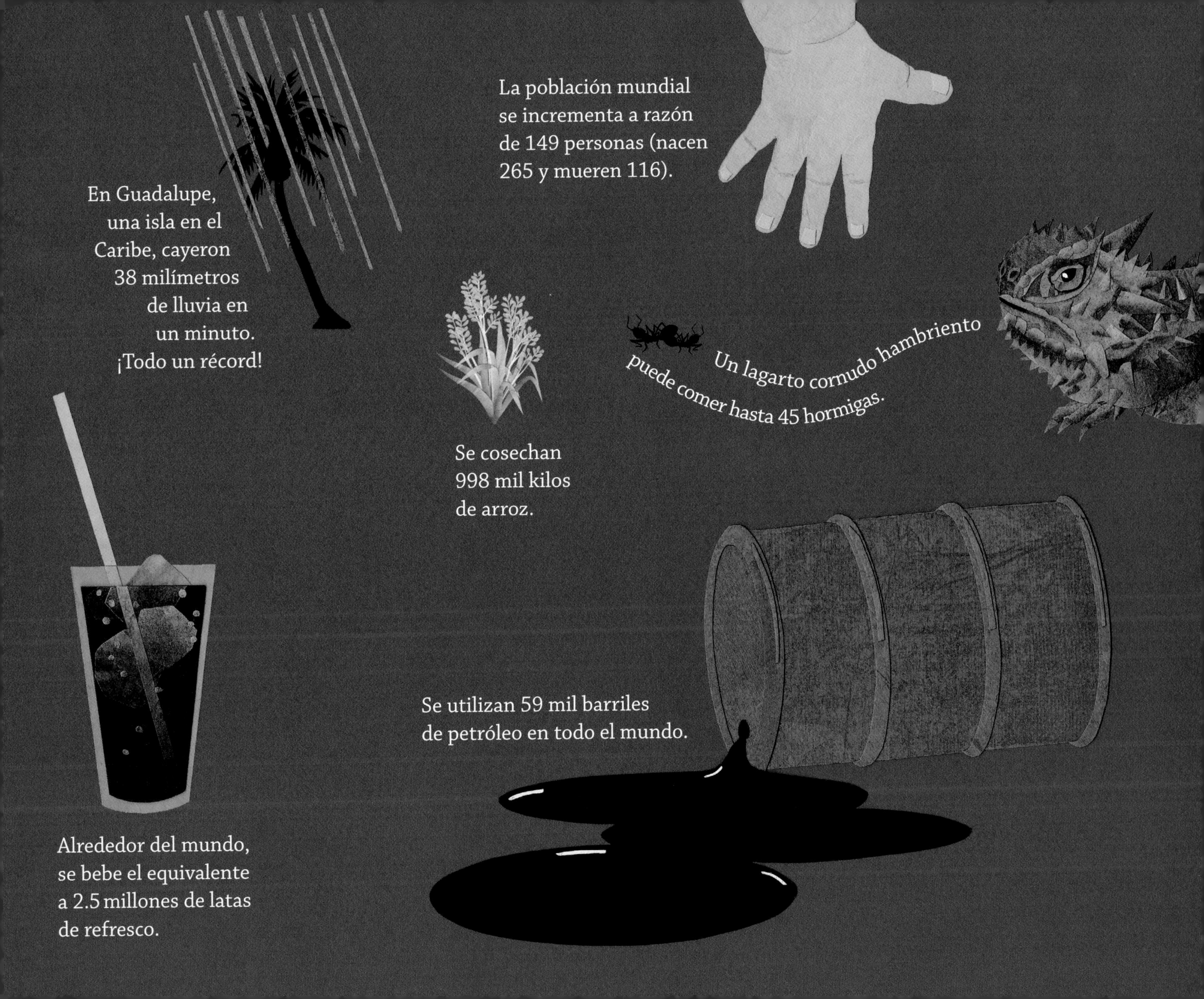

La población mundial
se incrementa a razón
de 149 personas (nacen
265 y mueren 116).

En Guadalupe,
una isla en el
Caribe, cayeron
38 milímetros
de lluvia en
un minuto.
¡Todo un récord!

Un lagarto cornudo hambriento
puede comer hasta 45 hormigas.

Se cosechan
998 mil kilos
de arroz.

Se utilizan 59 mil barriles
de petróleo en todo el mundo.

Alrededor del mundo,
se bebe el equivalente
a 2.5 millones de latas
de refresco.

En una hora...

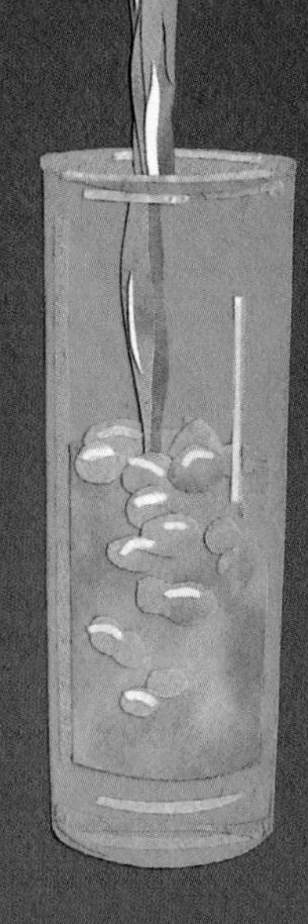

Se utiliza un promedio de 72 litros de agua por persona en todo el mundo.

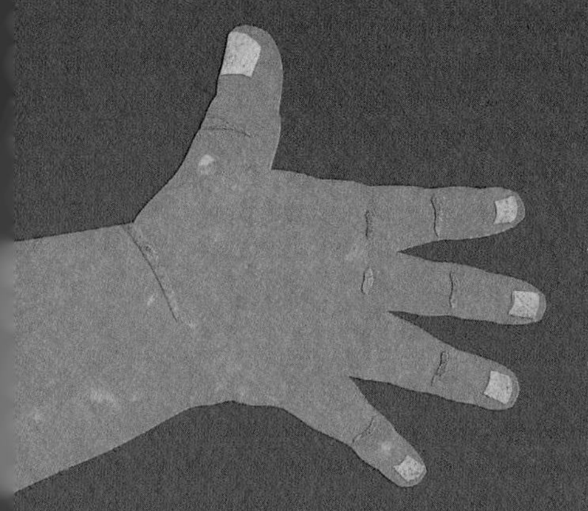

Nacen 15 913 personas y mueren 6 993.
Hay 8 980 personas más en el mundo.

Una persona adulta respira alrededor de 900 vece

Hace 4 mil años, los antiguos egipcios empezaron a dividir la duración del día y la noche en 12 porciones iguales.
Éstas dieron origen a la hora que utilizamos hoy día.

Un topo puede cavar un túnel de 6 metros de largo.

Una estrella de mar puede desplazarse
9 metros o más gracias a los diminutos
pies tubulares que tiene en la parte inferior
de su cuerpo.

4 536 kilos de basura
espacial —polvo, sobre
todo— caen a la Tierra.

El Sol viaja más
de 800 mil kilómetros
en su recorrido
alrededor del centro
de la Vía Láctea.

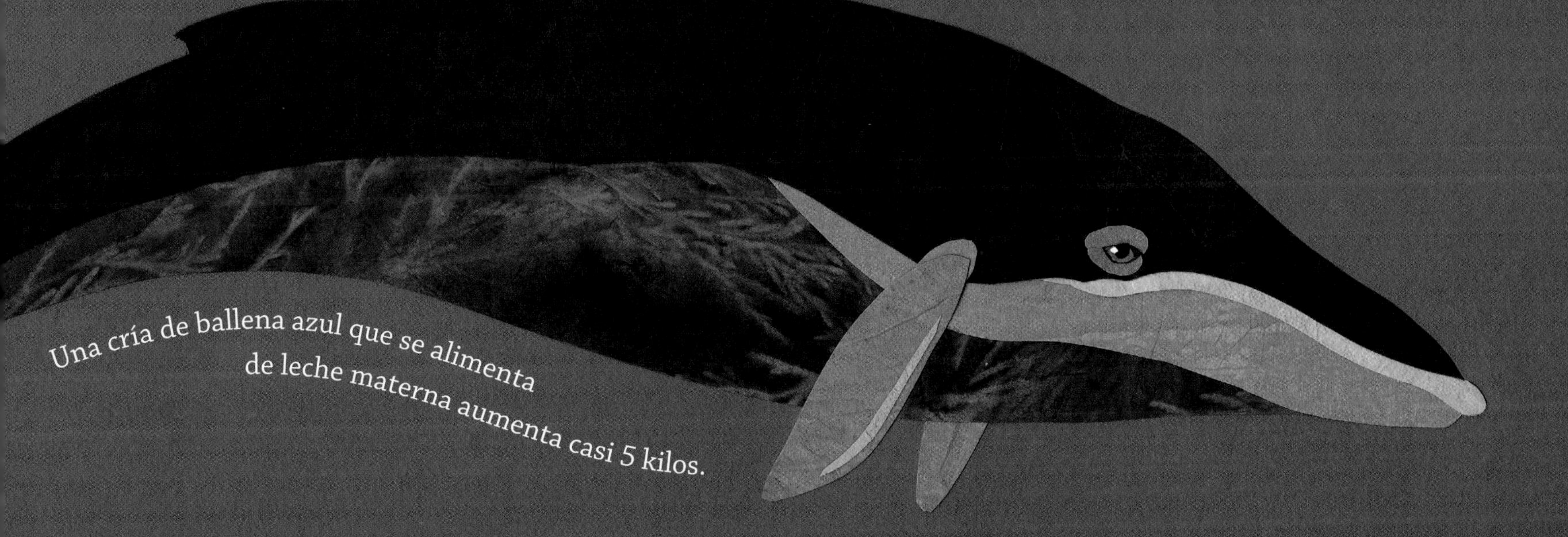

Una cría de ballena azul que se alimenta
de leche materna aumenta casi 5 kilos.

En un día...

El día es el tiempo que tarda la Tierra en dar una vuelta completa sobre su propio eje. Es la unidad de tiempo que comparten todas las culturas en el mundo. Originalmente se basaba en el lapso que ocurre entre el amanecer y la puesta del Sol.

La población mundial incrementa a razón de 215 mil personas (nacen 382 mil y mueren 167 mil).

Una pulga hembra
pone 100 huevos.

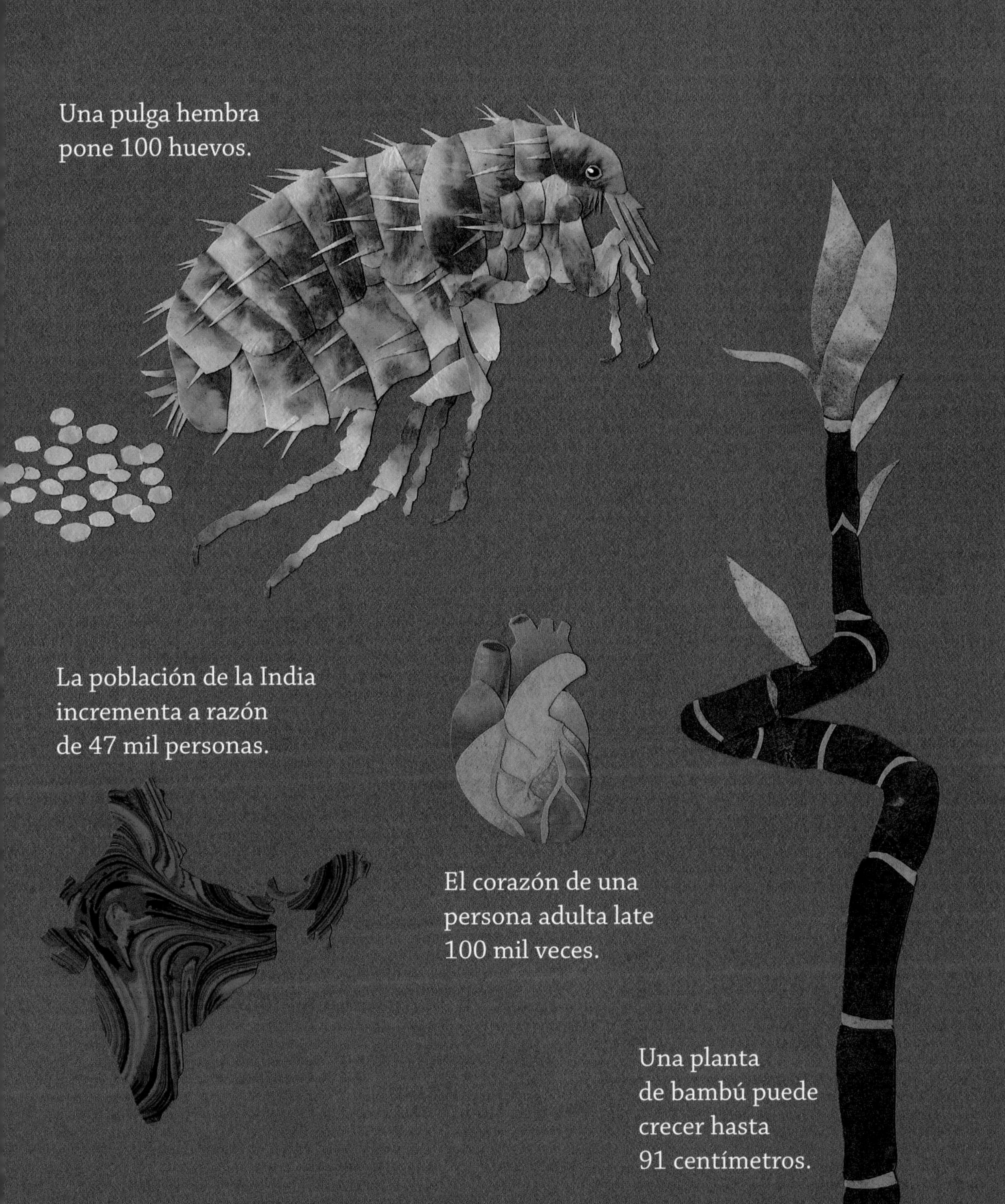

Casi 50 nuevas especies de plantas y animales son identificadas. Por desgracia, otras 150 especies se extinguen, la mayoría a causa del impacto del estilo de vida del ser humano en el ambiente.

La población de la India incrementa a razón de 47 mil personas.

El corazón de una persona adulta late 100 mil veces.

Una planta de bambú puede crecer hasta 91 centímetros.

La gente utiliza el equivalente a 200 mil millones de hojas de papel tamaño carta.

Una aguja colipinta vuela
8 800 kilómetros.

Una catarina
consume más
de 5 mil pulgones.

La Estación Espacial Internacional orbita la Tierra 130 veces.

A lo largo de la historia,
distintas culturas tuvieron
la necesidad de contar
con una unidad de tiempo
que fuera más larga que
el día, pero más corta
que el mes —es decir,
de lo que ahora llamamos
semana. La duración de
las semanas ha variado de
3 a 20 días. La semana
de 7 días se originó en
Babilonia hace 2 500 años,
aproximadamente.

Los proyectos de urbanización destruyen el equivalente
a 550 canchas de futbol de áreas forestales.

Una mariposa monarca recorre alrededor de 1 127 kilómetros durante su migración.

Ocurren alrededor de 8 mil terremotos cuya intensidad nos permite sentirlos. En promedio, menos de 3 ocasionan daños significativos.

Un par de ratones —macho y hembra— se aparean. Pronto regresaremos a ellos...

Una calabaza gigante crece tanto que puede aumentar 68 kilos de peso.

La cornamenta del alce es el tejido de un animal mamífero que crece con mayor rapidez. En una semana, puede aumentar hasta 15 centímetros.

EN UN MES...

Se publican
84 mil libros.

Nuestros ratones han tenido 10 bebés. Ahora hay 12 ratones.

Se fabrican 4 millones
400 mil coches.

Es probable que el mes —junto con el día— sea la unidad de tiempo más antigua. El mes de nuestro calendario tiene aproximadamente la misma duración que un ciclo lunar, es decir, alrededor de 29 días y medio.

Se identifican
más de 700 nuevas
especies de insectos.

El cabello de una persona crece 1.25 centímetros.

La población mundial produce suficiente basura para llenar un pozo cuadrangular de más de 336 metros de ancho y de 305 metros de profundidad.
La uña de una persona crece 3 milímetros.
Un eucalipto puede crecer hasta 76 centímetros.
Cuando emigra, una ballena gris puede recorrer más de 4 mil kilómetros en mar abierto.
La población incrementa a razón de 6 millones 556 mil personas (nacen 11 millones 616 mil y mueren 5 millones 069 mil).

En un año...

Alrededor de 50 personas mueren
a causa del ataque de algún tiburón.

Más de 2 millones
de personas mueren debido
a enfermedades transmitidas
por la picadura de un mosquito.

La Luna se aleja 4 centímetros de la Tierra.

El charrán ártico recorre
más de 64 mil kilómetros.
Su migración es una de
las más largas de la Tierra.

El año se calcula a partir
del tiempo que tarda la
Tierra en dar una vuelta
completa en su órbita
alrededor del Sol. Es, junto
con el día y el mes, una
de las unidades de tiempo
que distintas culturas
han compartido a lo largo
de la historia.

El Monte Everest
se eleva 1.25 cm.
sobre el nivel
del mar.

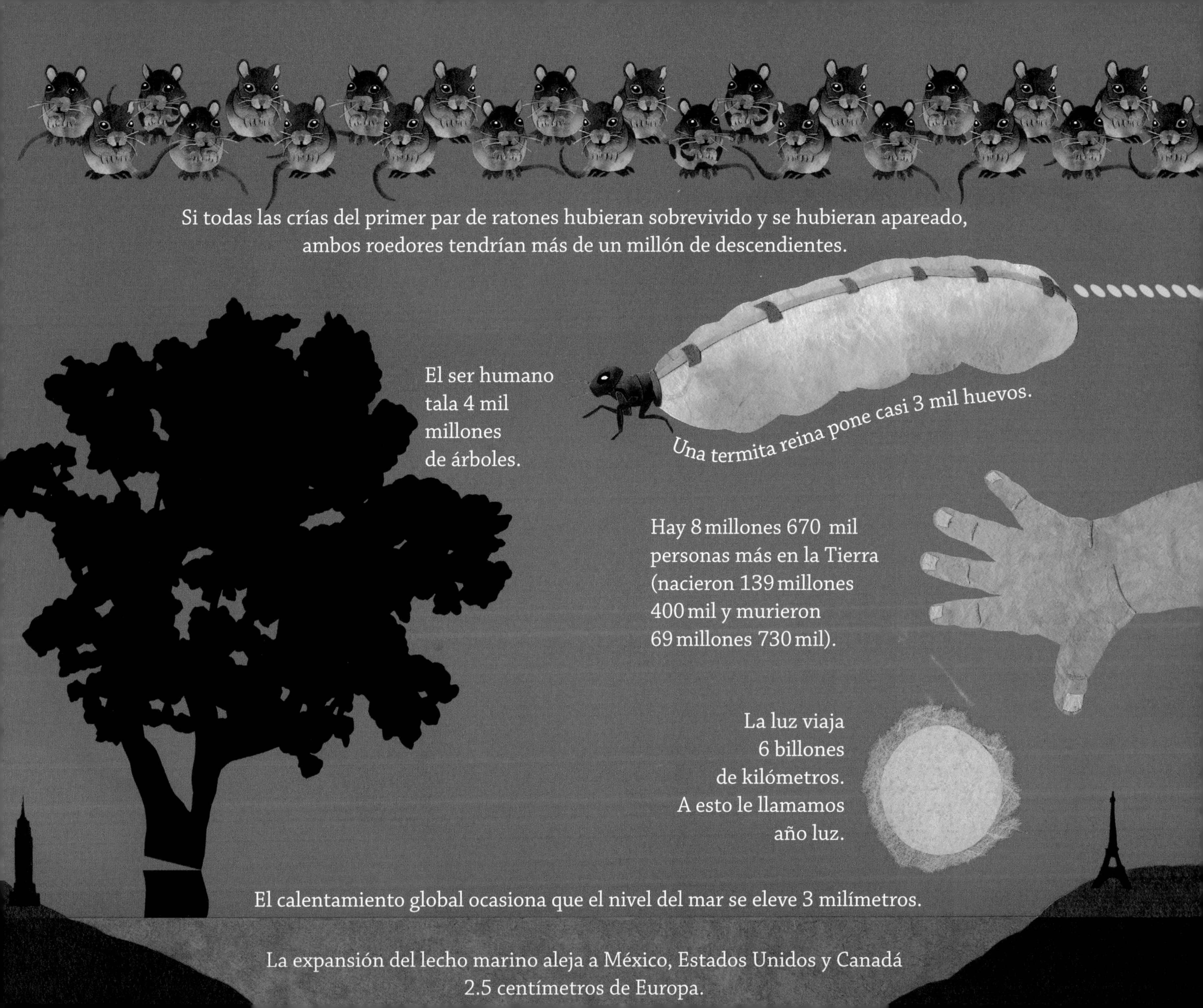

Si todas las crías del primer par de ratones hubieran sobrevivido y se hubieran apareado, ambos roedores tendrían más de un millón de descendientes.

El ser humano tala 4 mil millones de árboles.

Una termita reina pone casi 3 mil huevos.

Hay 8 millones 670 mil personas más en la Tierra (nacieron 139 millones 400 mil y murieron 69 millones 730 mil).

La luz viaja 6 billones de kilómetros. A esto le llamamos año luz.

El calentamiento global ocasiona que el nivel del mar se eleve 3 milímetros.

La expansión del lecho marino aleja a México, Estados Unidos y Canadá 2.5 centímetros de Europa.

Demasiado rápido...

En una décima de segundo, la mosca doméstica detecta peligro y sale volando.

En 0.14 segundos, la luz recorre una distancia equivalente a la extensión del Ecuador de la Tierra.

Una serpiente hocico de cerdo puede atacar y volver a enroscarse en menos de medio segundo.

En nuestro Universo, algunos eventos —tales como la luz que recorre una habitación— ocurren tan rápido, que no podemos percibirlos. La ciencia nos ha permitido medir muchos de ellos, a pesar de que no podemos experimentarlos directamente.

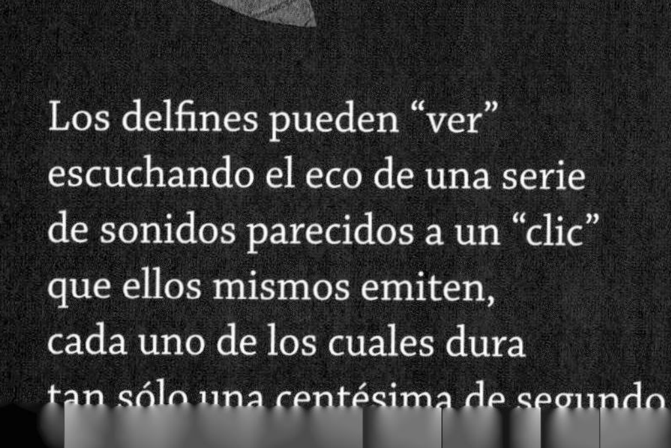

Los delfines pueden “ver” escuchando el eco de una serie de sonidos parecidos a un “clic” que ellos mismos emiten, cada uno de los cuales dura tan sólo una centésima de segundo

Una bola rápida vuela
de la mano del
lanzador de beisbol
de las ligas mayores
al *home plate* en menos
de 0.25 segundos.

El cerebro humano puede registrar un objeto que roza
nuestro dedo en una centésima de segundo.

La hormiga mandíbulas
de trampa cierra
sus fauces en
0.00125 segundos.
Ningún animal puede
realizar un movimiento
más veloz que éste.

La salamandra Shasta
—el anfibio con la lengua
más rápida en el mundo—
puede atrapar un insecto
en una centésima
de segundo.

Demasiado lento...

Una nave espacial tardaría 80 mil años en alcanzar la estrella ajena al Sistema Solar más cercana a la Tierra.

Observar las galaxias más lejanas es como asomarse al pasado, pues su imagen tarda tanto en llegar, que vemos las estrellas tal como eran hace miles de millones de años.

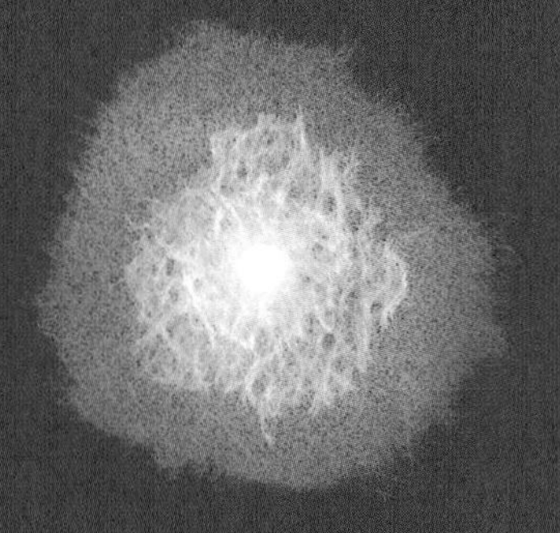

Un objeto del tamaño del asteroide que probablemente acabó con los dinosaurios se estrella contra nuestro planeta una vez cada 100 millones de años.

Un viaje alrededor de nuestra galaxia duraría aproximadamente 2 mil millones de años.

Desde el punto de vista del ser humano, quizá parezca que algunos eventos ocurren muy de vez en cuando, y que otros tardan demasiado tiempo.

El récord mundial de longevidad del ser humano lo ostenta una mujer francesa que vivió 122 años.

Si quisieras contar de uno a un billón, y contaras un número por segundo, tardarías más de 31 millones de años en terminar.

La temperatura y el tamaño del Sol seguirán aumentando.

En mil millones de años, la vida en la Tierra no podrá continuar como la conocemos, pues el calor excesivo no lo permitirá. En 2 mil millones de años, los océanos se habrán evaporado.

El organismo vivo más antiguo que conocemos es el pino longevo de California. Tiene más de 4 830 años.

Una carpa koi vivió 226 años.

La chirla mercenaria, una especie de almeja, vivió 405 años: un récord de longevidad animal en el mundo.

Para el año 2100, se dice que el nivel del mar habrá subido 48 centímetros en todo el mundo.

Historia del Universo

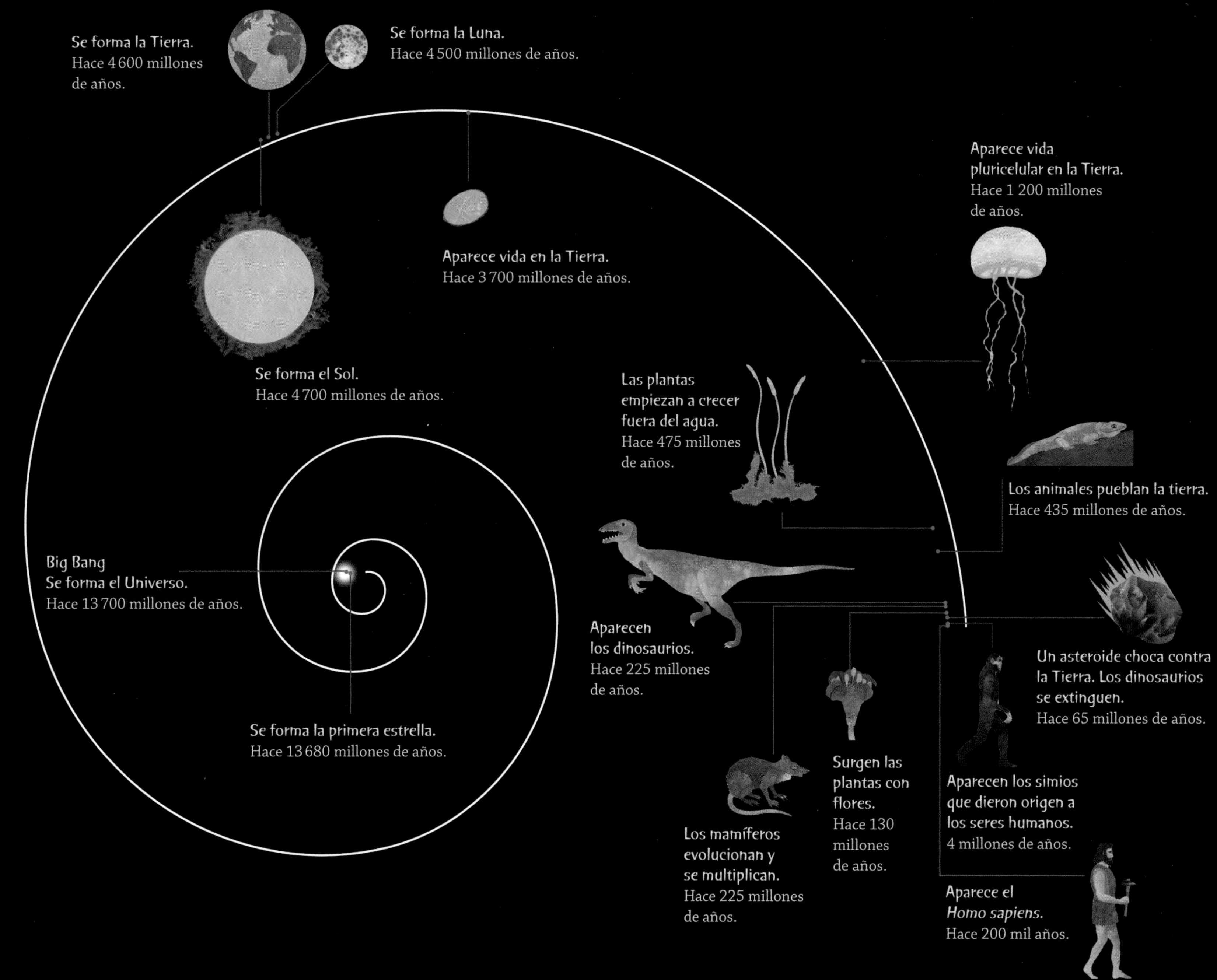

Población mundial: de 1750 a 2050

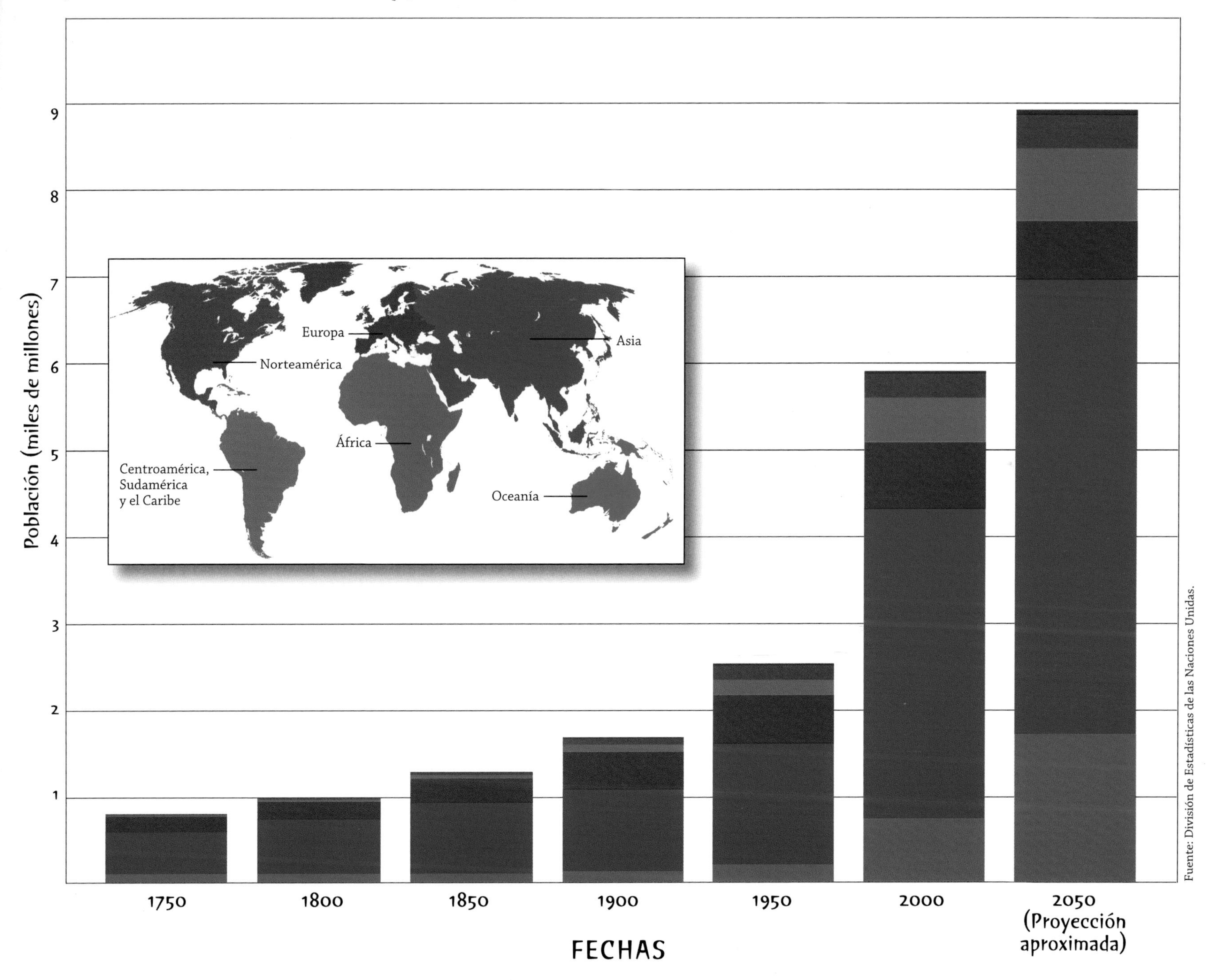

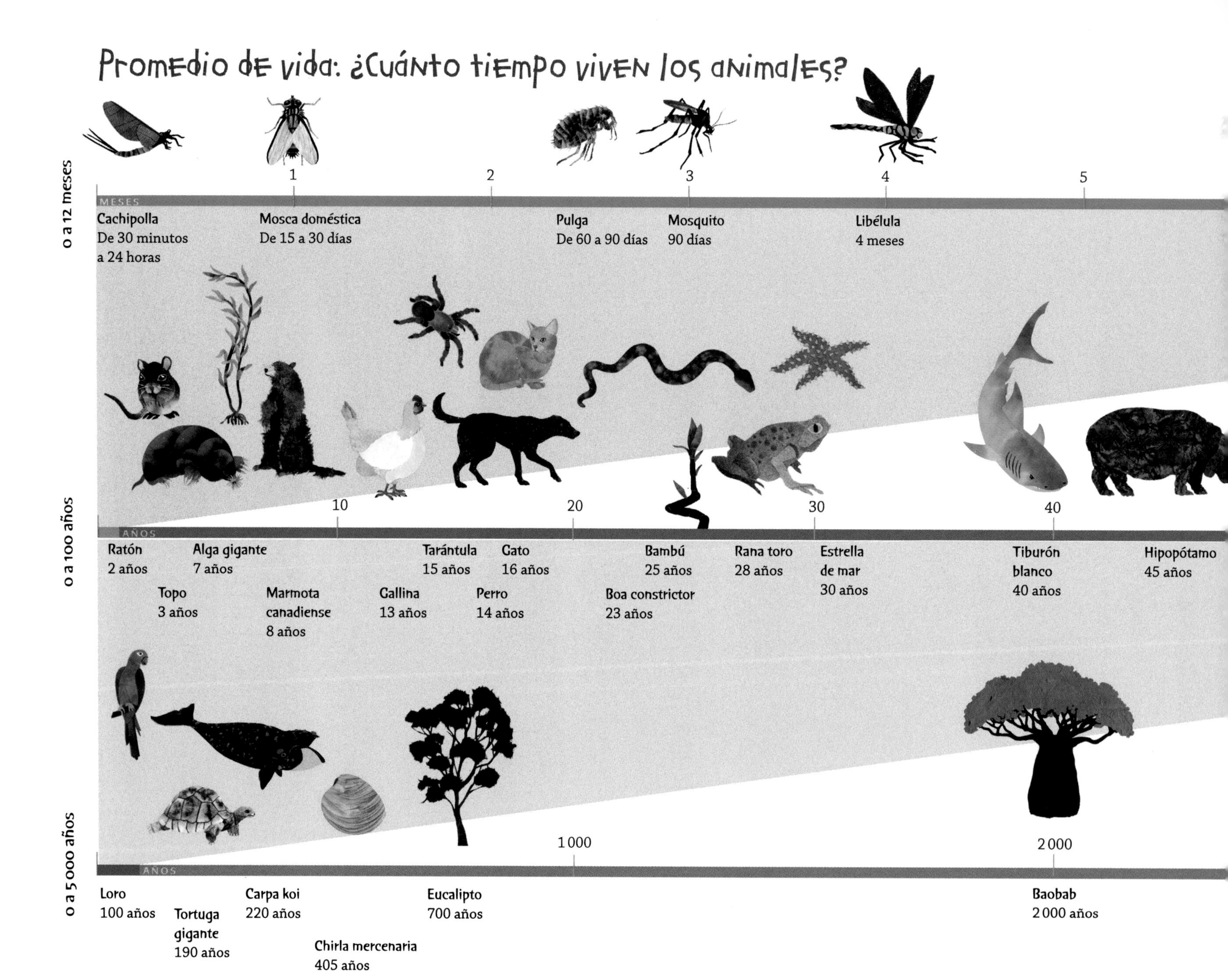
Promedio de vida: ¿Cuánto tiempo viven los animales?
0 a 12 meses
MESES
1
2
3
4
5
Cachipolla
De 30 minutos
a 24 horas
Mosca doméstica
De 15 a 30 días
Pulga
De 60 a 90 días
Mosquito
90 días
Libélula
4 meses
0 a 100 años
AÑOS
10
20
30
40
Ratón
2 años
Topo
3 años
Alga gigante
7 años
Marmota
canadiense
8 años
Gallina
13 años
Tarántula
15 años
Perro
14 años
Gato
16 años
Boa constrictor
23 años
Bambú
25 años
Rana toro
28 años
Estrella
de mar
30 años
Tiburón
blanco
40 años
Hipopótamo
45 años
0 a 5 000 años
AÑOS
1 000
2 000
Loro
100 años
Tortuga
gigante
190 años
Ballena franca
200 años
Carpa koi
220 años
Chirla mercenaria
405 años
Eucalipto
700 años
Baobab
2 000 años

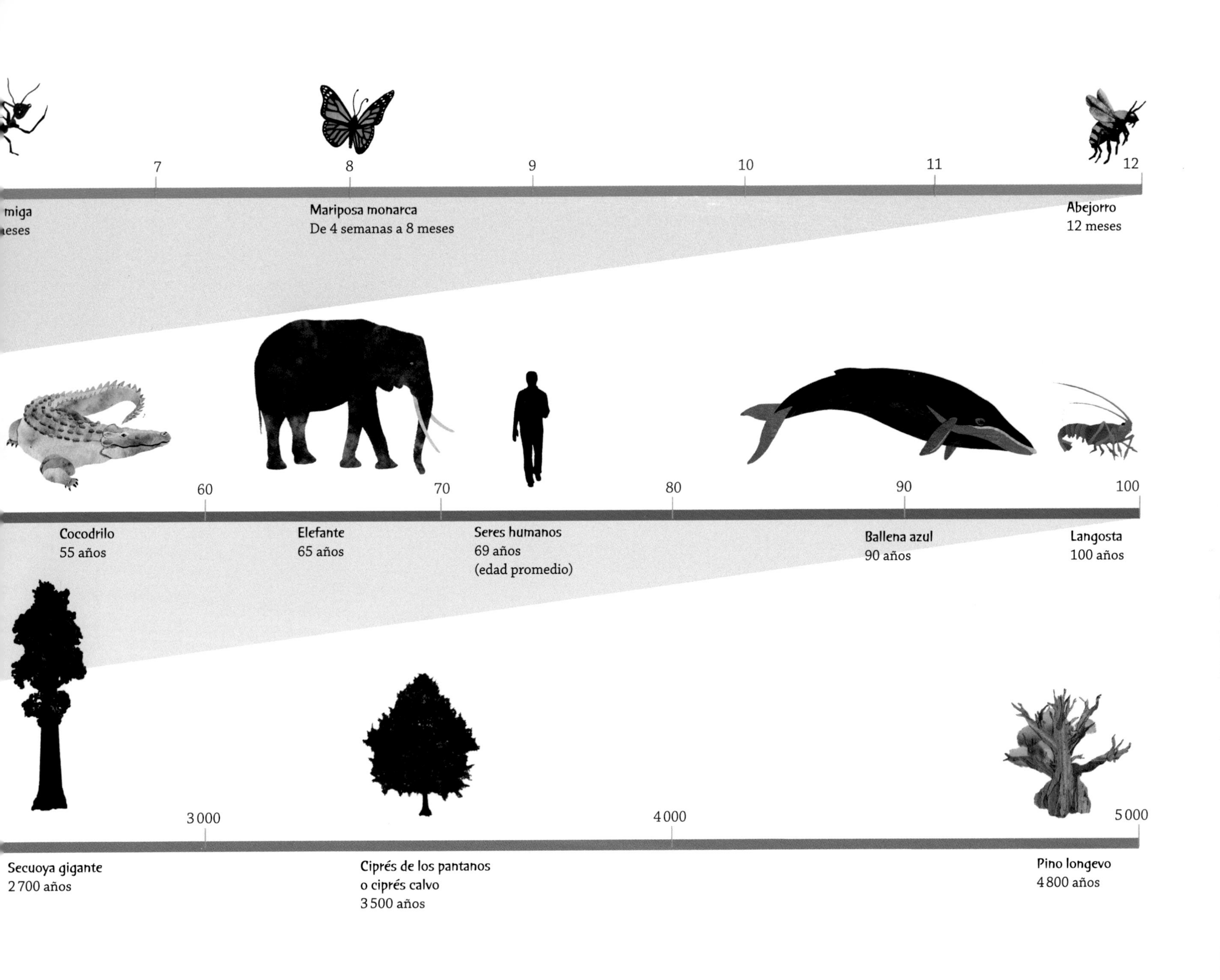
7
8
9
10
11
12
miga
eses
Mariposa monarca
De 4 semanas a 8 meses
Abejorro
12 meses
60
70
80
90
100
Cocodrilo
55 años
Elefante
65 años
Seres humanos
69 años
(edad promedio)
Ballena azul
90 años
Langosta
100 años
3 000
4 000
5 000
Secuoya gigante
2 700 años
Ciprés de los pantanos
o ciprés calvo
3 500 años
Pino longevo
4 800 años

La historia del tiempo. Algunos datos importantes:

30000 a. C. a 10000 a. C.	La gente hace marcas en bloques de madera para registrar los ciclos de la Luna. Estos son los primeros calendarios de los que se tiene noticia.
3000 a. C.	Los antiguos babilonios introducen el concepto del segundo.
2500 a. C.	Los egipcios construyen altas torres de 4 caras llamadas obeliscos. Usan la sombra proyectada por el obelisco en la tierra para marcar el paso del tiempo durante el día.
2000 a. C.	Los egipcios empiezan a dividir el día en 12 períodos y la noche en otros tantos. Estos períodos son los antecedentes de la hora actual; sin embargo, su duración variaba debido a que el día y la noche se alargaban o se abreviaban dependiendo de las estaciones.
1500 a. C.	Los egipcios desarrollan el reloj de Sol. En esa misma época, inventan el reloj de agua, el cual marcaba el paso del tiempo al dejar pasar gotas de agua de un recipiente a otro a intervalos regulares. Este tipo de reloj lo utilizaban durante la noche.
334. a. C.	A partir de que Alejandro Magno conquista Babilonia —ahora Irak—, Occidente empieza a hacer uso del concepto de los minutos y los segundos.
500	Los chinos miden el paso del tiempo con relojes de vela, es decir, velas marcadas a intervalos regulares que se consumen a una velocidad determinada.
1000	Los chinos construyen relojes mecánicos de 3 pisos, los cuales, además de marcar el paso del tiempo, también predicen eventos astronómicos.
1475	En un manuscrito europeo se menciona por primera vez la existencia de un reloj que cuenta con una manecilla para marcar los minutos.
1560	El primer reloj con segundero es construido en Alemania. No es muy exacto.
1600	Los astrónomos definen el segundo como la 1/86 400 parte de un día. Sin embargo, la velocidad en que rota la Tierra y, por lo tanto, la duración de un día, tiende a variar, de tal manera que se establece que no todos los segundos tienen la misma duración.
1721	El relojero inglés George Graham construye un reloj de péndulo que sólo se adelanta o se retrasa un segundo al día.
1895	Se implementa por vez primera en el mundo el Horario de verano con el fin de reducir el costo de producción de la energía eléctrica. Cuando inicia el Horario de verano, se adelanta el reloj una hora para aprovechar mejor la luz del día. En México, esta medida empieza a utilizarse en 1996.
1905	La Teoría Especial de la Relatividad de Albert Einstein demuestra que el tiempo es relativo: puede avanzar de manera más rápida o más lenta en 2 lugares diferentes, o cuando 2 observadores viajan a distintas velocidades.
1945	Se introduce el *shake*. Esta unidad de medición se utiliza en las ciencias computacionales y la física nuclear, y corresponde a 10 nanosegundos.
1956	Los astrónomos definen el segundo como la fracción (1/31 556 926) de un año. La duración de cada año también varía ligeramente, por lo que deciden utilizar el año como referencia. De esta manera, el segundo tiene la misma duración para todo el mundo.
1967	Los científicos redefinen el segundo como el tiempo que tardan los electrones de un átomo de cesio en completar 9 192 631 770 ciclos.
2010	Aparece un nuevo reloj atómico. Es el reloj más exacto que se ha construido hasta la fecha. Sólo se adelantará o retrasará menos de un segundo en 3 mil millones de años.

Bibliografía recomendada

El tiempo hace variable la duración de las cosas, de Helen Taylor. Sigmar Infantil, 2008.

Círculos y calendarios, de Libia E. Barajas Mariscal. Ediciones Castillo, 2005.

Las medidas del tiempo, de Carla Aymes y Rebeca Kraselsky. Ediciones Castillo, 2005.

¿Hay algo más viejo que una tortuga gigante?, de Robert Wells. Juventud Infantil, 2004.

Experimentos sencillos sobre el tiempo, de Muriel Mandell. Oniro Infantil, 2001.

Una nota acerca de los datos y las cantidades que aparecen en este libro:

La información que se menciona en este libro proviene de una amplia variedad de fuentes impresas y electrónicas. Algunos datos son exactos y han sido comprobados —sabemos, por ejemplo, la velocidad exacta a la que viaja la luz. Otros, sin embargo, son el resultado de un cálculo, pues no hay manera de saber exactamente cuántos bebés nacen en un día o cuántos árboles se talan en un año. En estos casos, consulté múltiples fuentes confiables. Cuando encontré que se atribuían distintos datos a un mismo fenómeno, utilicé un número promedio.

Impreso en los talleres de
Grupo Gráfico Editorial, S.A. de C. V.
Calle B No. 8
Parque Industrial Puebla 2000
C. P. 72225, Puebla, Pue.
Julio de 2012